JN046599

詩誌　天窓

02

理念綱要

此処デ云ウワタシトハ、
所謂、ワタシデハナイ。

まず、自称できない詩人のために、わたしは、この窓を造る。

まだ見ぬ詩人というよりも、詩人的性格との置かれている環境が故に日の目を見ぬひとのために、わたしはこの冊子を造る。

現状と現代に雲隠れながらも、それでも的確な文学史的意志を持ちながら生きていこうとするひとに、わたしはその天井の一部分をここに開こうとすることを呼びかける。

悲しき模倣者の運動と知りながらも、それでもそれら過去の詩人に対する愛好と愛恋がなくてはひそかにも生きていけないひとのために、わたしはこの窓から、少しでも表現の明かりを採ろうと試みる。

夜に神殿を作り、朝に反世界の寝床に就くひとでも良い。貧しさに縁が切れず、獄の角部屋のような心に棲むようなひとでも良い。そのような困難の立場においても、常にこの天窓こそは開かれていることを理想とする。むしろ創作の罪深さを知りつつもそれでも道化して生きるひとを、あるいはそのような表現者を、わたしは望む。

よってこの窓は見上げるにも、覗き込むにも価しないものである。その時間に、その時間の光が自然に傾くだけの設えである。

それでも構造上、月が見えるかもしれない、星が見えるかもしれないというような期待だけは、十分にあるかもしれない。

形式は限定しない。もちろん散文でも良い。写真でも絵画でも良い。意志があれば、積極的に取り扱う。パウル・クレーや田中恭吉のたましいをわたしは信じている。あるいは、宮沢賢治の音楽を。

悪魔的表現よりも、より天上的な語彙による詩的運動を試みることを、本誌天窓の一つの使命とする。天を、意識する。あるいは期待する。それは趣味というよりは、やはり時代に対する意志がある。反現代詩であり、反一般的であること。ヘルダーリンを、八木重吉を、わたしは信じている。

それでもやはり反抗という言葉は使いたくない。それには表現全般に対する、敬意があるからである。現況に対する悪口ならばいくらでも言えるかもしれないが、そのようなことは、一切言わない。言えた立場でもなければ、言えるような器用な身でもない。よって批評精神は、非常に薄いかもしれない。

それよりも僅かにも光を得ることが目的である。怒りよ。屈折よ。鎮まることをせよ。弱さを。不服を。意志を。各々の部屋の中で、現代に、世界を広げ過ぎずに。

しかしわたしは、ただただ待つことしか、出来ないかもしれない。日が傾くのを、見つめていることしか出来ないかもしれない。同じく時代の文学に対しては、当然弱者の一人だからである。

それでもわたしは、この窓を造ろうと試みようと思う。裸足で屋根にも登ろうと思う。曲がった釘でも銜えようと思う。

日当たりの悪い場所で、あるいは採光が必要な部屋で、それでも生きなければならないひとに、この窓を、わたしは開ける。

詩的表現こそが生きがいのひとに、しかしそれがために生きづらいひとのために、わたしは、この場所を造る。それだけが生の癒しであり、慰みであるひとのために。

天窓は何処かに通じている。あるいは、通じているように思われる。少なくとも寝転んで見上げている限りは。それが幼年時代でも、それが幻想世界でも、勝手である。その窓から、光や風がやってくると想像してみることを許すのは、言葉の自由である。そしてこの窓が、列島各地の天窓に通じていることも、わたしは願う。そのささやかな交信を期待する。あくまでも天窓を開けるという手法で。

本誌天窓は、都会的ということは標榜しない。むしろそれは、牧歌的かもしれない。あるいは建築における天窓の目的が奢侈よりも環境にこそあるように、飾りというよりも、必要でこそありたいと思う。よって生活者であることは、幾分標榜するように思われる。

本誌天窓は、所謂、現代的手段における喧伝を一切しない。喧伝する場合にも、間接的な方法で行う。

しかし、決して地下組織というわけではない あるいはその性質のためにこそ天窓を造るのであって、むしろより広く頒布されることこそ望んでいるので、それによってわたしは現状におけるあらゆる手段と可能性も合わせて考えることになる。

天窓以下でも、天窓以上でもない、ただただ常に開かれているものに対して、足を使いながら辛苦してみたいとも思う。

虹は、見えないことが多いだけである。その色は、名付けることで区切られているだけである。常にそういうことは、あるかもしれない。そのために一部分でも交渉の風通しを良くしておくことは、大事である。

硝子一枚隔てた空のために。切り取られてしまった雲のために。月のために。星のために。失われた四季の横顔のために。清算出来ぬ徒労のために。祈りに近い願いとしても、非力ながらもわたしはこの天窓を施す。もちろんそれは、そのような自分のためにも。

唯、月夜ノ
願イトシテ草ス

——天窓主宰者S

目次

詩と作品

連載

寄稿文

ふたつの母、教え／耳の色

南田偵一《なんだていいち》

ふたつの母、教え

がちゃ、と、叔母のことを呼んだ
滝は延々と落ち続ける
人に見られようと
見られていようと
時に激しく
時にしとしと、と
よう見とけ
覚えておけ
修ちゃとわたしの思い出
忘れたらいかんよ

叔母の背は乳臭かった
夢の中で置いてけぼりを食っても
叔母のよろめいた毛氈は
乳の匂いが染みていた

叔母の言う。
お前はきりょうがわるいから、
愛嬌だけでもよくなさい。
お前はからだが弱いから、
心だけでもよくなさい。
お前は嘘がうまいから、
行いだけでもよくなさい。＊

母のにおいは、行李にしまわれていた
乳母の背は、いつだって甘酸っぱい
乳が表裏さかさまになった妖怪
たけと一緒なら、あん寺行けるでしょ、修ちゃ
東北の山田舎
毎日の散歩なんぞ巡る場所は限られる
また、あの地獄絵図を見せられる
そんな因果を背負って生まれてきたんか
火ぃつけたもんは赤い火がめらめらしとる籠背負わされ
妾持ったもんは二つ首の青い蛇に巻きつかれ
嘘つけば鬼に舌さ抜かれる
たけは怖がらせ
泣かすために連れてくる

慣れてくれば
たけの声は、低く、凄みを増してくる
母のにおい、父に目もかけられん
オジカスへの
せめてもの道徳

＊一部、太宰治「思い出」「葉」より引用。

耳の色

何を聴いてるの、
おなじもの以外
聴いてる可能性高いから
イヤホンは忠実でいてくれる
チュウヤの詩の朗読を聴いていします
ナカダイタツヤの声で
死んだ、チチの声に似てるのです
見込みがあるね
いい音聴いているよ

ウソです
あの子の父親は野で生きてます
母親の私が言うのだから
ラップばかり聴いてます
イヤ、ヨー
指を差し出さなくても
だって、ほら、
あんな背、ぴーんとして
中也だったら
もっと猫背でしょ
よかった健全で
残念ですが

太宰治の「きりぎりす」、静子夫人は絵の才能があると若い連中におだてられ、家を出る。生活は荒れ、耳が聴こえなくなって、自殺した。「私」は夫人が遺した最後の絵を、大したことない。おだてた連中が悪い、と破いてしまったけれど、本当に天才だったのかもしれないと恐れた。

いっそ
刀で
切り落としてくれようか
芳一となって
少女の兆しを
リセットする
それとも
揃いも揃って

白痴になって
少女の存在も忘れて（忘れられて）
白い髪を
ピンクに染めたっていい
イヤホンの
スポンジは
いろいろな色に替えられる
ひと息で、
コロっと
転がってゆく

水中二篇

千住旭

六甲布引《ぬのびき》の水

冷温の縛りを超えたところに
それはあって
良い水
と要約するには口幅ったい
円みがあるのです

威容を誇る木造りの浴槽に
注がれてゆく豊かな水
あまりにも瑞々しく
透きとおった音は

眠気さえ誘うのです

身体をひたせば
肌にしずかに
馴染んでいくのがわかります
有難さが
五臓に行き渡るのがわかるのです
悠久の時に磨かれた
六甲布引の水のおかげで

神戸クアハウスの水風呂にて

完全なる同化

わたしの内と外で
たたえる流体の違いが
今わからなくなった
圧すらも感じ得ない
この完璧な水のせいで

わたしは溶け込んでしまったのか
それすらも明瞭でない
ひとつだけ確かなのは
この水はわたしを虐げない

緩やかに
密やかに
わたしと一つになろうとしている

泡沫は変容を止めない
なるほど或いは
わたしの内なる
揺らぎなのかもしれない

大垣サウナの水風呂にて

カイコ（五十首）

蟻野八

君の眼で一分だけでも見られたらあの日の僕の傘は青色

好きなのは雨の匂いと聞いたから明日の天気気にしてしまう

炭酸と深夜の首都高ノイズ音カーテン揺れてサイレン遠く

空狭く入道雲も切り取られ何急かされる葉の裏の蝉

熱帯夜青の間で投函すその駆け足の音のみ響く

朝焼けが夕焼け色に見えたんだ逆さま世界で何が悪い

茜空ビニール袋空高く修羅を彷徨う海月の如く

東京にすっぽり広い空が見え上空の鳥あっという間に

港町十七の時ロケが来て「良いとこですね」が虚しくて夏

爪切りで彼方へ飛んだ破片たち一つ浮かんで今宵の月よ

砂時計落ち切る前に逆さにすその繰り返しにも飽きてきた

何故だろうとなりのトトロを見ていたら数年ぶりに髭を剃ってた

どうしても星が見たくてどん兵衛を放置したまま外へ飛び出す

柔らかく手紙に切手貼るように明日の行方を探して生きる

早歩きしなきゃいけないそんな日も電柱の裏猫がいるかも

手に取ったハッピーエンドの映画だけなのにもう無い駅前TSUTAYA

飯田橋公衆電話の中から金木犀を伝えたかった夜

夜行バスサービスエリア喫煙所君に連絡出来ないままで

制服をなびかせ走る二人組昔古墳の森を背にして

優しさが偽りだらけの世界でも今日もどこかで綿毛よ飛んで

0・10の世界の中で4とか7何とか見えて見えてください

ジュピターとヴィーナス合わせオスマンサス異なる星で二度咲き薫る

袖口がほつれはじめたカーディガン君があの夜掴んだとこから

儚くも君が奏でた旋律は今も心に流れて海へ

日曜日コインランドリー待つ時間が平和であればそれで良い

手の平にバウムクーヘン乗せてみるなんてことない終末の予感

懸命な横顔いつも遠くから放課後の音溶け合い空に

伸びる影振り払おうと駆け出した振り返らずに駅までの道を

ブレザーで原付押した坂道に残っているか涙の結晶

坂下る街の灯遠く星はないさっきのサヨナラ噛み締め笑う

前触れは後からになって分かったよ「触れられたなら」なんて意味ない

助手席で眠る君こそあはれなれブレーキペダルに混じり合う息

見上げれば月がぽっかり浮かんでて星目当てなの見透かされてた

早朝のビルの谷間にオレンジの大きな月が沈んでいった

前歩く君の姿は懐かしき街の匂いを揺れる髪から

田の道の街灯ポツポツ点き去しワンマンに揺れ便箋取りいづ

半双の線を辿りしバラードはいまや両耳せんなきことよ

音高く破れ裂かれる冬花火気だるいコートの裾まで響いて

ビルの赤遠くに見える階段で飲みたくもない缶コーヒー持つ

よく晴れたピクニックにも似てるかも笑顔のカタチとこぼれる声は

車内西陽に満たされ光の世界河川敷では凧が上がって

初めての汀に座る後ろ姿はあまりに遠くあまりに脆く

がらんどう低音唸る冷蔵庫生身の明日を詰め込み光れ

うんめぃと呟きカツ丼食べる君誤解も嬉しく苦笑いする

過ちが枕の上に落ちてきて天井突いて箒星に

青嵐先月去ったサーカスの亡骸もなく野草の波よ

夜半過ぎテレビのノイズ迷い猫ベランダに風だけ通り過ぎ

幻が見えなくなって手を振った小川にかかる橋の上から

ツバメ待つ酒と煙草を断ちながら飛び立ちかねつ身ではあれども

いつかまた噴水のある公園で昼を食べるから晴れれば良いさ

以上、五十首

裏門

長谷川美緒

その日、めざめて最初に食べるものを、break fastと言います。

英語の先生は、年齢のよく分からない女の人だった。中年と言えるくらい年をとっているようにも、わたしたちと同じくらいにも見えた。英語も日本語も独特のリズムでゆっくり喋った。体の中に、速度の変わらない、ゆるやかな河が流れているような喋り方だった。

断食（fast）を、やぶる（break）、という意味です。

先生は黒板に、刻むように文字を書いた。

わたしは中学校に入学してまもなく、ものが食べられなくなった。それ以外に他の生徒と違うところはない。朝、おはようと挨拶をして、靴を脱いで下駄箱に入れ、昨日観たテレビの話をしながら教室に行って席に座り、授業を受け、トイレに行き、手を洗い、席に戻る。昼休みはカフェテリアに向かう列からこっそり抜け出して、校舎の裏の、サルビアの繁みの陰で過ごした。

両親の仕事の都合で子供の頃は外国で暮らしました。大学生から日本に来た。あなたたちはまだやわらかい。わたしはやわらかかった頃、学校では英語、家では日本語でした。英語のほうが好きでした。友達とおしゃべりするほうが、両親と話すよりも楽しかったからね。最初の授業で、先生はそう言ってぺろりと舌を出した。わたしはびっくりした。周りの子は神妙な顔で話を聞き、ノートをとっている。わたしも真似してノートをひらき、隅にぐじゅぐじゅと落書きをした。それから書いたものをすべて、よく消える大きな消しゴムできれいに消した。

草に顔をつけて寝転ぶ。雲が速く動く。

顔の横に突如、重そうなお尻が現れて草をつぶした。起き上がると、英語の先生が、弁当箱を膝の上に乗せてこちらを見ていた。

「たまごやき、食べませんか」

ふっくらと巻かれた卵焼きを一つ、先生は箸にとってわたしの目の前にもってくる。わたしは首を横に振る。分かりました、と先生は言って、それを自分で食べた。あまい匂いが流れてきた。鼻腔から体の奥へ入った匂いの筋が、扉を探してうろうろと迷う。

昼食を食べ終わり、弁当箱を鞄にしまうと、先生は唐突にわたしの手を掴んで立たせた。転びそうになりながら、引っ張られて走り出す。クローバーに覆われた庭を抜け、裏門の向こうへ出る。黄色と橙色の花が点々と咲いている野原を、どんどん走った。そのうち地面がわずかに隆起したところへ差し掛かり、先生はスピードを落とした。小さな建物が一つ、ゆっくりとこちらへ近づいてくる。煙突がぽっぽっと煙を上げている。窓から女の人が手を振っている。先生はわたしの手を掴んだまま、その建物の、煉瓦でできた階段をのぼり、正面のドアを開けた。それから中に入り、ばたんとドアを閉めた。

天井で回る大きなプロペラの影が、磨かれたカウンター席の上をすべっていく。

「おはよう」

先生がつぶやく。女の人が窓際からこちらを見ている。その姿は、室内の柔らかな照明と窓からの光とに、半分ずつ浸っている。

「おはよう。朝かしら?」

「もうお昼」先生が答えると、女の人は目をまるくする。「あら。ではお昼ごはんね」

先生はスツールを引き出して座る。女の人はカウンターの後ろへ移動してメニューを取り出す。先生はそれを押しとどめて、わたしを隣のスツールに座らせた。「この子に何か、いいものを」

女の人はにっこり笑って厨房に引っ込んだ。しばらくすると湯気がふくらんであふれ出し、部屋中に立ちこめた。視界がまっしろになり、どこにいるのだか分からなくなる。わたしは森の中の、四つ足の動物になる。土の匂いがする。雨に濡れた土。草。花々。樹の皮。動物は、鼻を地面にこすりつけながら歩いている。

「お待たせしました」

カウンターに置かれた金属の籠には、マシュマロが積まれていた。雪玉のような白いものの中に、黄色いのと、ピンク色のも交ざっている。一つつまんで口に入れる。粉がこぼれる。噛むとふくらみ、ひろがる。飲み込むと、涙のように空洞の中を落ちていった。

建物は野原を横切り、学校の裏門に向かっている。マシュマロをもう一つ口に入れ、飲み込む。つめたい塊が落ちていき、胃が動き出す。夢から揺り起こされる時のように不愉快な気持ちと、新雪に触れるような、ぞくりとした快感とがある。

「着いたわ」

先生が紅茶のカップを置いて立ち上がった。女の人はドアを開けて、名残惜しそうに、先生の背中に声をかける。

「たまにはあなたも、朝ごはんを食べに来てちょうだいね」

先生は曖昧にうなずき、階段を下りた。わたしも続いた。クローバーの地面へ駆け込むと同時に、チャイムが鳴った。午後の授業が始まる。先生はもういなかった。振り返ると裏門は閉まっていた。

連作　岩手の詩人に／八木重吉論

齋藤圭介

立ち直り

良いじゃありませんか
こんなようなものであるとしていても、ひとりぶんの堕落が、まさしく、ひとりぶんとして、
こんなようなものであるとしていても、良いじゃありませんか

当人がもうそんな風でもいいと思っているようであれば、
今のところは、そんな風でもいいと思っていても、
まあ、それでもう良いじゃありませんか

むりやりに生きることはないじゃありませんか

麦色の兵隊

思ったより生きるということは、土色の、生業を繰り返さなければならないということを、
知り始めてきている

こんな秋の日の一日でさえまるで麦色の兵隊にならざるを得ないということを、
知り始めてきている

それでもやはりその夕暮れには、腰を曲げ、言葉もつむ

岩手の詩人に

詩はよいものですよ
詩は、それはよいものです

その場その場で受け取ってくれるわけですから
（まるで深手の手水鉢《ちょうずばち》）

さまざまな意見はあるでしょうが
ぼろぼろと溢れるものもあるわけですが
それでもこんな言いぶりも許されるわけですから
（よいものですよ）

疲れ切った言葉でさえも詩と詩の矜持を忘れかけて果てに並べてみたようなこのように簡単な言葉でさえも
こうして並べてみるだけでどこかふとすくわれるわけですから

そりゃあ溜まり水ですよ

ぼろぼろな、まるでそれは
深手の手水鉢ですよ

粗雑にも

自分のことは自分で守らなければならないのですから、生きて、いかなければならないわけですから、簡単な言葉でもつむがなければならないこともあるのですから
それがために
それがために
無愛想にもふるまっていかなければならないことだってあるのですから
詩人だと思っていればいいのです
万事、そうしてよりよく生きていければいいのです
さあそうして、どうなっても、あるじゃないないか、どうしても

どのように稚拙で煩雑な世間にまぎれて自分自身がまたそうなってしまうと思う日であっても、なくなりそうもない塵ひとつよりつけないような言葉のつらなりが、曲がりなりとも本質は必ず曲がりそうもないようなものが

さあ、われわれの群れのうちには、どうしても、あるじゃあないか

そうでしょう、粗雑にも
われわれはどうしても、詩人なのですから

令和

安っぽいもので良いのです
椅子も照明も机も、壁掛け時計も
安っぽいもので良いのです
まるで田舎のほったて小屋を
小綺麗におめかししたという風で良いのです

一晩かけて、手づくりで
それでもなんとか間に合わせた
――そのようなもので良いのです

朝食も、こんがり焼いたパンに
蜂蜜を伸ばしたようなもので、良いのです
熱い珈琲を一杯付けたならば
それはもう贅沢というものです

山水のような自然の
ふつうの水があれば良いのです
お酒は土地のもので
ふつうに美味しいものであれば
それでじゅうぶんに良いのです

都会は都会として、安っぽく
地方は地方として、安っぽく
それでいてお互いにお互いらしく
それぞれに都会であり地方であれば
良いのです

安っぽいもので良いのです
文化も芸術も人間も、政治も経世済民も
狸に化かされたというもので良いのです

こんな良くない詩でも良いのです
良い詩だと思っていれば良いのです

良くない人間でも良いのです
良い人間になりたいと
思ってさえすれば良いのです

嘘つきでも良いのです
毎日、空を見るのです

手にとってわかるような詩

手にとってわかるような詩が欲しいのです
手にとって、それがわかって、それが頬をなでつけて、ようしと思われる言葉が欲しいのです

それでなんなく、生きていきたいのです

ですから、そのためには、それが見つからないときには自分の中からも生み出そうともするのです

献花　（手紙の最後にかえて）

ぼくのこころはよわいこころで、ひとをわらわせたいとおもう、こころだ。だめかもしれないとおもい、生きている。だめかもしれないとおもい、また今日も、生きている。けれども生きているのであって、まずはそれがあるので、それがあるのだから、まずは讃められても、じゅうぶんによいのではないか。まずは、こうして生きながらえているのだから、だめかとおもうまえにもそれがしっかりとあるのだから、そうだ、まずは、ぼくはまっさきに讃めたたえられていなければならない。

たとえば空気の中に精一杯に、自分のためだけにたくさんの花束をたくさんの花びらを落としながら抱き締めていても、一向にかまわないのである

電球

読みすすめてはくれるなと深い睫毛があらわれて
わたしの指は紙をめくりながらめくりたくないと思っているのがわかる
外の世界はうすくらがりである
まるで独逸の田舎の重たい木戸の擦れる音だけが聞こえる

詩集

あなたがいちばんの詩人だと思っている
二の次も、その次もないものと思っている

そんなことを思っているわたしをしっかりと差し置いてそれでもあなたの詩集は
わたし自身をさえしっかりとそのように思わせてくれる

世界に一人きりにしてそのように思わせることをさえためらいもなくさせる

ひろがり

へへと笑うし、へへと笑っていたと思う
そのくらい生きていることに対して玩味させられていたと思うし、やはりそう思われる
ひろがり

感情

月があり、星があり、難しい本がある

音楽も鳴り止んでしまって、わたしがいま信じられるのは帰り道の、両足の、電灯の光の中へずんずん進んでゆく沿道の縁石の少し外れているような辺りだけ

そのようなものだけをしっかりと見ながら生きていれば、自分のうちがわから、音楽が鳴り出すようにも思う

真面目な生

詩ともつかない
敬虔ともつかない
ひらがなである

書きかけの八木重吉論が
木のつくえのうえに
午後のひかりにあたって
ひらひらしているのを見ていたら

いままでのように生きるのをやめようと思った

八木重吉論（抄）

日本近代文学史の中で、もっともうつくしい三行を、かれは、書きつけた。秋の日の硝子窓に。惜しみなく天才という不世出を使いたいけれども、八木重吉はその言葉をつきはなす。天才というもので語ってくれるなと、わたしの中の詩人も小さな反駁の声をあげる。

つまりは、えんぜるたちなのだ。ひらがなのひとつひとつにも、光十字がやどっていて、それもそれ以上の信心などなく、ただそれなりの、それにふさわしい大きさの、えんぜるたちなのだ。

言葉のひとつひとつにも教会が建てられていて、その中で唄うのだ。ふだんの讃美歌を。

それはまるではじめからそうなることが、わかっているような世界なのだ。

三つ秋の詩

序詞

秋の日の
電車を待つ
線路沿いの
蔦の葉の間から
たまに昔の日のことを
思い出すことがある

1

朝五時の空気をふんだんに呼吸した、かれの散文である。
ピアノの音でも、鳴りそうである。

2

少なくとも、それらは同じかるさである
枯葉か、それとも、八木重吉詩集か、
わからなかったとまでは、言わないが――
いちだんと空の高い日の窓ぎわにあったので

3

わたしの机の上には
蛍石と群青石が置かれている
秋の日の光の中にもだまっている二つの石をみていたら
泣きたくなった

人間の眼

人間の眼はきれいです
今日もできる限りの青空を
うつしています

人間の眼は、きれいです
今日もできる限りの青空を
うつしています

書物の朝

薄目を開けて、わたしは、見た
きやつらはもう、起きていた

朝五時の水色のけむりの中で
天窓の光洩る白い本棚の中で

きやつらは整然と起立していた
幾たりかは——
わたしのように、未だ夢中に凭れながら

幻

小さな午後に
一つの魂が
死んだふりして
やわらかな蝶が
詩が
飛んでいるような
(気がした)
夢の中で
一つの魂が
死んだふりをして

舌耕詩

わたしは言葉を耕していない
まったく耕していない
わたしは、いま、丸裸の
赤児のようにうずくまっている
恥ずかしい言葉である
恥ずかしさもない、言葉である

夢

死という文字があって　湖で泳いでいる
木陰から見ていたのは　わたしだった

花占い

わたしは言葉を持っている
持っていない
持っている
持っていない
持っている

そうしているうちにうすきいろの道しるべがあらわれる

弱音を吐く

わたしは今日も弱音を吐いている
緑木にさんさんと降り注ぐもののように自然に
せいぜい、木の窓の仕切りがあって良かったと思っている

朝

白猫が一匹、去る
それを見ていた、かたわらの白い花は、いま、なにかを覚《さと》るように、自ずから色を変えてゆく

◯

どんな言葉にもならず、誰にも読まれない本があることを言うために、それはあるのだ

午前感覚

四時
暗闇が暗闇自身を、忘却しているような視界である。

五時
音楽、もしくは、音楽的。

六時
光の通るすきまから、ひっそりとやってくる点では、それは泥棒にも似ている。水色である。

七時

まだそこに、透明な、新鮮な草木が、泳いでいます。それでももう、ふりかえれない。万事、はじまってしまっている。

八時

全ての明かりを集中させている。ものごとが、つねに移動している。

九時

なにかが、ぴちゃりと、鳴る。末端に、たまりたまって、いよいよ、という感覚で。

十時

やわらかい、あたたかい、真っ白い厚手の木綿をいちめんに広げる。たまにたゆたう。

十一時

暗雲がたちこめる。

正午

ちがう世界の鐘がなり、ちがう世界になる。

Tennmado

連載

詩人と打ち合わせは可能か　第二回

天窓という詩の場所に誘われて、詩を書けるわけでもない自分が自分の専門性の中に詩はあるかしらと自省して、身勝手にもこれは詩なのではないかと考えている行為を取り出した。何か間違いが起きることに期待して、架空の演出家を架空の空間に現して動かしてみる。本当は僕だって詩人になりたかったと思っている。

黒田瑞仁（舞台演出家）

D

セットは変わらず、狭いガラスのテーブルが一つと金属製の椅子二脚、床置きの観葉植物があるのみ。音と明かりが変わる。１日の中で時間が進んだというよりも別の土地、別の季節に周囲が移り変わったような印象を与えることが望ましい。しかし演出家の時間は先ほどから地続きなものとして引き続き観客に語りかける。時折、せわしくない雑踏の音が聞こえてくる。

演出家　フィボナッチ数は知ってますか。フィボナッチ数列、かな本当は。子供の頃に読んでいた『数の悪魔』って本に出てきて知った数です。数の集まりというか、つまり数列なんですけど。でも数列っていうと。

ト、観客をちらっと見て言いたいことを飲み込む。

演出家　『数の悪魔』はエンツェンスベルガーの本です。エンツェンスベルガーはドイツの人で、エンツェンスベルガーっていうのは、小学生の僕はエンツェンスベルガーって面白い名前だなと思って響きで覚えちゃったんですが、他にどんな本を書いたかは全然知りません。だからエンツェンスベルガーは『数の悪魔』を書いた人。でそのフィボナッチ数は、エンツェンスベルガーじゃなくて、フィボナッチさんという数学者が考えた、1、1、2、3、5、8、13・・・っていう、羅列なんです。びっくりしました。小学生の自分は。小学生の頃って勉強させられるわけですよねわけもわからず、当たり前のように。僕は、というか、学校にはみんな行かされるわけだけど、僕はそういう家ということだったと思います。だから小学生の算数の数列っていうと、2、4、6、8、10・・・みたいな2の倍数とか、5、10、15、20、25・・・とか、ああこれは5の倍数だなっていう。こういうのの法則を見つけなさい、というそりゃあそうだみたいなやつで。そこに0、1、1、2、3、5、8、13、21、34、55・・・っていう、法則が全然わからない、というのを知って、ショックを受ける。数学嫌いな人からするとそれだって勉強じゃないか、ということでしょうし、そうなんでしょう。実際親が買ってきた本だったし、でもきっと勉強させられることに慣れすぎて、そういうことの見境がつかなくなってたんだろうな小学生の自分は。ああそれでフィボナッチ数が何かっていうと、最初0と1から始まって。それでその二つを足して、1。こうやって前の二つの数を足して次の数を作るんです。だからデキた1と前の1を足して1たす1は2。それでこっちの二つめの1を2と足して3。

左手を握り、右手の人差し指を立てるところから始まり、次は両人差し指を立てるという具合に順に両手の指を使って、観客から見て左へ左へと数列を示していく。

演出家　次に2たす3は5。3たす5は、8。あ。ハチ。で。えー。5たす8。で13。8たす13は。21。13たす21は、えー。34。34。35。とかで。まあそうやって直前の数を足すと次の数ができて、その数を足すと次の数ができる。そういう、聞いてみると仕組みは難しくないんですけど、数だけ見てもなんかよくわからないというのが凄さ引き起こしたというか。こんなランダムに見えるものにもわかりやすい法則は一見すると隠れていて、自然のいろんなところに潜んでいる数なんだと『数の悪魔』には書かれてた。悪魔が説明してくれるんです。数の悪魔がいて、男の子にいろんな数を夜な夜な教えてくれる。

間。

演出家　だって13は素数ですから。小学生が使う数列に13なんてまず出てこなかったと思うな。

間。

演出家　ああごめんなさい。

鼻から息を吸う。歯を見せて笑う。

演出家　そうですよね。大丈夫です。大丈夫。昔、演出の先輩と食事をしている時に私が素数ゼミの話をして気持ち悪がられたのを思い出しました。虫が嫌いな人だったので。セミです。虫のセミ。大量発生するセミ。

間。

演出家　大丈夫です。大丈夫。なんでしたっけ。

E

演出家　なんだっけな。

F

誰も動かない、無音の長い間が続いた後、ふと明かりが柔らかくなる。徐々にこれまで微かに聞こえてくるだけだった雑踏の音が徐々に増してくる。

演出家　いま京都にいます。住んでいるわけではありません。ちょっと立ち寄っただけです。8年前も京都にいて、ある人に呼び出されて、彼の仕事を手伝うために一週間ほどの滞在を何度か繰り返していました。その時の仕事を通じて出会ったピアニストがいました。

歩く。

演出家　ああ、ピアニストっていうと、嫌がるんですけど、それはその彼女が自分がずっとついてた先生とかクラシックピアノの人たちのやり方に違和感があって、別の音楽やピアノとの向き合い方を探しているからですね。

気が大きくなってきたのか、ゆったりと座る。どこか空間の一点を見ながら語り続ける。

演出家　向こうも私に興味を持ってくれたみたいで、何人かでご飯にいくようになったりして、京都を離れた後も私の作品を見にきてくれたりして、それでその人を作品に誘うようになりましたはじめは試しに音楽全般の相談を受けてもらってたんですけど、話していく中でこの人は音楽の演奏を上手にしようとしているわけじゃなくて、もっと興味が広いんだと思ったんですよね。だから、だから？ひとつシーンをお任せすることにしたんです。最初はびっくりして、やりますと言ってくれたんですけど、やっぱり演劇はあんまり知らないし、でも戯曲はしっかり読んできてくれたのが、言葉と捕まえようとする人でしたね。楽譜をそうやって読むからなのかなあ。大抵は戯曲には目を通すけど、読みづらいし、大づかみになってしまうんだけど、集中力がある人なんですよね。初めて関わるというのもあっていろんなことを真面目に話してくれて、この登場人物はこうなんじゃないか、音だとこういうテイストだろうとか、好きなミュージシャンとか、そういう真面目でその人にとってのわりと事実を述べているだけでした。でもそれだとどこにも行き着かないんだろうなという感覚があった。向こうもそれはわかっていました。多分こちらの態度を通じてだったんでしょうね。それでそろそろ決めないといけないですねという話を確か池袋の喫茶店でした気がします。

氷の溶け切ったお冷の入ったグラスの水で口を湿らせる。物足りないのだが、気にせずに話を続ける。コーヒーカップの中身は相変わらず冷め切っていて、残りも少ないままになっている。

演出家　次に会った時に、わりと真面目さはどこかに行っていて、少し奥底に空間ができた感じの表情でやってきてくれました。それでこの作家の絵を知ってますか、前見た時にとてもよかったんです。と言ってその場で私はその作家の絵を検索しました。見せるとそうこれですと笑って言ってくれましたね。そういう時ってあこの画面に映っている小さな画像は本物でもないし小さいけど説明のためのものだという表情を人はするんですけど、その人はちゃんと笑ってました。それで、その絵画がもたらされて、そこから最後まで私たちよりも上にあるものになりました。それがキーワードになったというか、言葉じゃないけど、言葉の先と絵の先にある世界の何かはそこに共通のものとしてありました。ハンマスホイという作家で、確かデンマークだったかな。

目の前に一人の話し相手がいるかのように見つめている。それはここで語られるピアニストではなく、この話の聞き手が想定されていなければならない。

演出家　ああそうか。キーワードは静寂でした。ハンマスホイの絵画には静寂があった。静けさ、だったかな。静寂は私の言葉かもしれないですね。静けさ。でも中心にあるのは絵画なので、そこから印象を受ければそれは良いということになります。その絵画が、つまりその時の詩でした。詩的な絵画なのかもしれないけどそういう意味じゃなくて、私たちにとって真ん中にある詩だったということですね。

【続く】

天窓に寄せて（発行出版社より）

虹色社代表　山口和男

天窓という本を作るので、なにか書いて欲しいと言われたのだけれど、何を書いて良いのか皆目見当がつきません。

およそ僕の人生の中で、詩集というジャンルの本の中に自分の文章を書く。つまりは自分の思うことを書き連ねようなどと一度も思ったこともなく。戸惑うばかり。

しかし、奥付を眺めれば、発行者には自分の名前が入っていて、あまつさえ、この本自体を物理的に世の中に送り出すがために印刷やら製本をしているのが私という存在であり、すでに参加してると言うならばそのとおりだと思います。

ふと思い返せば、天窓に関して思い入れがあったことに今更気づいたので、そのことを少し書いてみようと思います。

その昔、何を勘違いしたのか、絵描きを志した時があり、その時の理想的な制作環境の中に「天窓」があったことを思い出しました。

絵画の制作環境といえば、思いつく場所は「アトリエ」ではないでしょうか？　およそ普通の生活ではそんな部屋はいらないものですけれども、絵描きにとっては制作場所たる「アトリエ」の存在は結構重要なものです。現状の自分の部屋で絵を描き続けているに従って、「いつでも」「快適に」制作を続けられる環境は必須と思えるようになってきます。

絵はもちろん、触ったり、持ち上げたり、独特の匂いがしたりと言う面もありますが、目で見るものである以上は、見えなきゃ仕方ありません。そうして、思った色を思った位置に道具を使って置くわけです。

この説明だけで「見えること」というのが最重要であることにお気づきいただけるとは思います。さらに、絵描きを自称する以上は、思った色を思った分量でと更に細かなことに気を配らなければならなくなります。

今どきのこうした光の環境づくりを考えるならば、写真スタジオのような環境が理想に思えてきます。

僕達が物を見るときに用いている光を理屈っぽく言うと「環境光」と言うのですが、その場でなにげにものを見ているときにそこを取り巻く光のことをそう言う約束になっています。

光に色があることは、なんとなくご理解いただけるんじゃないかと思います。

車のお好きな方々にとって、夜走るときに重要な「ヘッドランプ」ですが、ご自分で交換の経験があると見たことがあるかもしれませんが、6500ケルビンとか5000ケルビンとか見たことがあるかもしれません。この数字は、ランプの放つ光の色を表しています。

たぶん、ごく普通の車のヘッドランプの標準的な色は5000ケルビンくらいかと思います。ですが、これら自動車のヘッドランプの明かりは、皆様「白色」と感じるんじゃないでしょうか？

それで、暗闇の道でこのヘッドランプに照らされたとき、あなたはこのヘッドランプの光に包まれているわけで、これがその時の「環境光」になります。

人の目は大変良くできていて、この環境光が最も白っぽいところを照らしているときにこれを「白色」と判断しています。これは無意識にそう見えるように人の脳が色を調整しているのです。

話がますます面倒な方向に行きそうなのですが、前出の~ケルビンという単位で表される数値は、「色温度」という言葉でも表現されています。

色温度は、低いほうが「赤色」。高いほうが「青色」になります。これがどうしてそうなるかという説明は更に小難しくなりますので省くとして（無責任ですみません）。

つまり、こうした色付きの環境光でものを見たときに、純粋な「白色」というのはその場に見えていないことになるのです。

わかりやすく言うならば、真っ赤な電球しかない部屋で、本を読めば、あなたを取り巻く全てが赤く見えているはずです。これは、極端に色温度が低い「環境光」の部屋であるということになるのです。人の目の色温度の調整範囲を超えているために、全てが赤に見えるのです。


話を元に戻して、写真スタジオの場合は、撮った写真が「真っ青」や「真っ赤」になったら商売上がったりです。ということで、「普通に見える」写真を撮るための光に調整した余計な光の入らない部屋ってのが理想になるので基本的に写真スタジオは、明かりをつけなければ「真っ暗」ってことになるわけです。

翻って、思った色温度の光に満たされた環境を作ることができるわけです。

更に話を戻す方向で、アトリエにこれを導入しようとするならば、光を漏らさぬ厳重に閉じられた箱のような部屋で、理想の光に照らされて……となると思うのですが、一応僕も生き物でして、この中で長時間作業をするというのはいかがなものでしょう？

制作していたのは油絵でしたので、通常よりも強く換気しないと普通に気分が悪くなる（はたまた別な方向に気分が吹っ飛ぶ）環境に短時間でなってしまいそうです。

それならば空調完備でと、次々と場当たり的な対策を積み重ねていくこととなることは自明なんですが、僕の場合「光」以外の理想的制作環境は——そよそよと風の吹き、穏やかな天気の野っぱら——でしょうかね。

「アトリエなんかいらんじゃん！！」と言ったら、この文章の無意味さが見えてくるので見ないフリしてください。部屋だという前提条件をしっかりと頭に置いて……と。

野っぱらでの制作での大問題で思いつくのは「風」ついで「雨」。その次は、強すぎる光。

風雨を避けるには「傘」でもいいけど、いつでも思ったときにでと書いた条件からは外れることが多いので、おとなしく家に入ったほうが良さそうです。

光に関して野っぱらでは、草原に囲まれた環境で描いたことありますが、白いキャンバスが緑色に見えちゃうんですね。お天道様の光が強いときには眩しすぎて見えないとかこれまた理想的環境とは程遠いのです。

木漏れ日は、ロマンチックですが、ダンダラ模様に照らされた白いキャンバスは、思った位置に思った色を置けるかという問題をめちゃくちゃ複雑にしてくれることになります。


話がようやく部屋の中に入るところまで戻ったのですが、窓一つない部屋……。理想的照明つけて空調整えて…。また離れました。

大人しく窓付きの部屋に入ればいいのです。それなりの広さがあれば「アトリエ」です。ごく一般的な部屋ならば、南側に大きな窓。これは明り取りという目的と開放感の演出でしょうか？　次に風通しのための小窓をあちこちにって感じでしょう。

こうした普通の部屋は、心地よい風が吹き抜ける明るいお部屋。ですが、アトリエの理想を思い返すならば、理想的な光という普通の部屋プラスの環境が理想になります。

南側の大窓は、光がいっぱい入るし換気には最適ですが、外光が直接入る環境では、朝日は赤く昼は光が強すぎて、夕方はまた真っ赤。一日安心して絵が描けるかと言うと理想的ではないです。

そうしたわけで、先人は「北向きの天窓」をアトリエの理想としていました。家自体の耐久性を加味した西洋の先人は北向きのドーマーウィンドをアトリエの理想の窓として考えたんですね。ドーマーウィンドがどんなものか興味がある方は、調べてみてください。一日中弱いながらも安定した光が期待できるのでここに帰結した。と言えると思いますし、昔はこうした部屋を持つことを僕自身も理想と考えていました。

長々語りましたが、僕にとっての理想の象徴たる「天窓」が、今まさに手元にあるという。ほんとに面白いものです。

ある詩人の回想　ii

H・H

春の光の中を
ずんずん進んでいきたい

また、ある日の彼は、ましろい紙のうえにこんな文句を書きつけていたのであった。これはおそらく、彼の敬愛する尾形亀之助の詩の一部分か、あるいは、そこから着想を得た彼自身の言葉であるか不明であるが、彼のメモ帳にはこういうほの明るい言葉もときどき垣間見られるので、彼は生というものに対して、ある程度は前向きなものもあったと私は推測している。
彼は、そうしてどのみち、やはりこの詩人をどうやら愛していたということは、例えばこんな彼のメモ書きからも見て取れる。

尾形亀之助に

修業時代の頃、あらいざらして、
雨のなかコインランドリーで、

朝の六時過ぎ、
シャワーをあび、
カーテンを少しだけあけ、

向こうの工場のトタン屋根を
見ながら
尾形亀之助の『雨になる朝』を読んだ

あれは、良かった。

＊

彼の生活は、どのようなものであっただろうか。それを知る手がかりは、じゅうぶんにある。ここではまず、「訓示」と題された彼の詩を見てみよう。これは緑色の詩手帳で〈ア-7〉と私が分類したものの半ばほどにある詩である。

訓示

働かざるものは食うべからず
働かざるもの、食うべからず
働かざるものは、食うべからず
それだけを紙に書いた日があって
その紙をじっと見ていただけの日もあった

車も通らないような路地の電信柱に
電灯が一つだけ点いていて、それも灯が切れかかっていた
あれは、ぼくだと思った
あれはぼくだと思っていた——それだけの夜もあった

たしかに、さみしい。彼は彼自身の言葉で、ほの明るさを、光を、その紙のうえに少しでも集めようとしていたに違いない。なぜならば彼の筆跡は、しっかりとそれだけで信心深いものがあるからである。つたないが、ていねいなその字を見ていると、私はその鉛筆の芯の削れる匂いが、いまにも感じられそうにさえ思うのである。

彼の生活と信心が匂う言葉を、もう一つ掲載する。

日々

ありきたりの安いものだけれども
朝、漢字辞典を広げて
白い紙に、鉛筆でうっすらと
胡桃麵麭。——と書いてみるだけで
願い込められる

至福が、気づかされる
あるいはそういうことでしか、朝を感じれなかった手筈

ピーナツ麺麭。
ビスケット。
つめたい牛乳。
食後の珈琲は、伯剌西爾の豆。

ベランダで朝焼けに向かって
ハイライトを一本、朝と同じ歩幅で、燃焼させる
それで廃人のようになっても生きていく理由を見つけられると思っている

難しい言葉を、あえて、ゆっくりと、改まったこころで、書いてみたのだろう。まるで異国の言葉に出会うように、あるいはその出会いに感謝しながら。言葉は糧であり、彼にとっての日々の糧は、また言葉なのだ。

さて、今回の最後に、「不満」と題された彼の詩をここに引いておこう。これは先ほどと同じく黒い詩手帳のうち、〈日々〉と題字された手帳の中にある詩である。

不満

誰もかれもぼくのことなんか知っちゃあいないが
ぼくもまた誰もかれも知っちゃあいない
スイスの詩人ことをずっと思っていて
ベランダに出てみたら月も出ていた

ぼくはまたいつもの場所に寝っ転がって
今日もただ明日が来ることを待つことにした

自分のためだけにひそかに弱いひとに手紙を書き続けることにして
それをもうずっと引き伸ばし続けることにした

私は、この〈手紙〉を、一応は受取ったのだろう。彼の部屋のベランダから。私はこの不幸の詩人を、その端緒でも世に伝える義務がある。次回も引き続き、彼の遺した詩手帳からいくつかの言葉を抜粋していきたいと思う。

尚、この詩の中の〈スイスの詩人〉というのは、現段階の私の研究では、おそらくローベルト・ヴァルザーのことであると推測できる。

『新訳　ラルボファル詩集』より　望郷詩篇　　　訳・Garou Seto

詩人Hに

故郷がドイツなのか
ドイツが故郷なのか
私にはわからない

ああしかし、小屋よ
お前は全てを知っている
お前がこの風景の中に
在らなければならないという事を

そして何処でも良いのだ
夜が来れば
私は寂しい故郷の部屋に
たったひとつの
灯りをともすだけだ
小説を読むための
貧しい灯りを

ああ、そして美しい
私の故郷よ
Fnehiki Takine Ono Ogawagou
それら小さな集落たちが
君の物語の舞台となるわけだ

君の描いた、つつましい
水彩の田舎風景となるわけだ

ドイツの古い小説を読んだあとで
なにも珍しかったわけではないのだ
朝にはさまざまな小鳥が囀ることも
暮方にはひぐらしの声で溢れることも
歩けば山があることも

分け入れば小川が流れていることも
春には丘の上が草の原になることも
冬には田畑が雪の原になることも

なにも珍しかったわけではないのだ
歌こそが夜の集いの喜びであることも
道行く窓灯りが円居を伝えることも
逢瀬の人がいればその帰り道に
星が説話をわかりやすくものがたることも

ああ、そして、
なにも珍しいわけではないのだ
いまもあの美しい町を離れずにいる人には

古馴染みの言葉たちに

古馴染みの言葉たちに、言いたいことがある
言わなくてはならないことと、言い換えてもいい

おまえたちも、そろそろ別のくちを探した方がいい
いつまでもこんなおんぼろな借家の隅に住んでいるというわけにはいかないだろう
おまえたちももういい大人なのだし、これじゃあ全く格好もつかないだろう
きみたちも、上製本の定宿とはいかないが、同人詩誌でも、私家版の冊子でも良いので、そろそろひとかどの住処を見つけなければならない

そりゃあ出て行くのにはお金もいるし、いままでのようにだらしなくしているわけてもいかないだろうが、私ももちろんできる限りの協力はするし、おまえたちの背中を押すこともできる——自信を持ち給え、お墨付きもしてやるから

けれども——最後にはおまえたち自身で、どうにかするしかないのだから、私に頼りすぎるのは困る

でも、この町から出ていくその日には、ひとこと私に言って欲しい
私だって楽な生活ではないが、貧しいながらも、それなりのお酒を用意して、小さな卓を囲んだ、ささやかな送別会くらいならば、してやれるのだから

若いものは若いもので、それでじゅうぶんに一夜を過ごせるのだから

璞《あらたま》　文庫

その一　『琥珀』

——時鳥琥珀の玉をならし行く　与謝蕪村

そのうすくらい仕事場を、オツベルは、大きな琥珀のパイプをくわえ、吹殻を藁に落さないよう、眼を細くして気をつけながら、両手を背中に組みあわせて、ぶらぶら往ったり来たりする。

「オツベルと象」より　宮沢賢治

遠く琥珀のいろなして、　春べと見えしこの原は、
枯草《くさ》をひたして雪げ水、　さゞめきしげく奔るなり。

「文語詩稿　一百篇」より　宮沢賢治

蜂が一ぴき飛んで行く
琥珀細工の春の器械

〈鈴谷平原〉より　宮沢賢治

冬の朝なれば
こころいそいそと励み
また高くさけび
清らかにしてつよき生活をおもふ
青き琥珀の空に
見えざる金粉ぞただよふなる

〈冬の朝のめざめ〉より　高村光太郎

眞實は實體である、感傷は光である。
幼兒の手が磨かれるときに、琥珀が生れる。彼は眞珠となる。そして昇天する。

〈SENTIMENTALISM〉より　萩原朔太郎

春夏すぎて手は琥珀、
瞳は水盤にぬれ、
石はらんすゐ、
いちいちに愁ひをくんず、
みよ山水のふかまに、
ほそき滝ながれ、
滝ながれ、
ひややかに魚介はしづむ。

〈盆景〉より　萩原朔太郎

虎なり
昇降機械
えれべえたあ
の往復する
東京市中繁華の屋根に
琥珀の斑なる毛皮をきて
曠野の如くに寂しむもの。
虎なり！
ああすべて汝の殘像
虚空のむなしき全景たり。
――銀座松坂屋の屋上にて――

「氷島」うち〈虎〉より　萩原朔太郎

生活がまだ蝕まれていなかった以前私の好きであった所は、たとえば丸善であった。赤や黄のオードコロンやオードキニン。洒落た切子細工や典雅なロココ趣味の浮模様を持った琥珀色や翡翠色の香水壜。煙管、小刀、石鹸、煙草。私はそんなものを見るのに小一時間も費すことがあった。

「檸檬」より　梶井基次郎

幾日幾夜の　熱病の後なる
濠端のあさあけを讃ふ。
琥珀の雲　溶けて蒼空に流れ、
覚めやらで水を眺むる柳の一列《ひとつら》あり。

「無題」より　富永太郎

ちやうどそれのやうに
ちやうどそれのやうに
かつて失はれた俺の魂は
かつてうばはれた俺の魂は
柔かく
滑らかな琥珀の頬と
熟したザクロの唇とをもつた
美しい悪魔が
青くはげしく燃える俺の魂を
しなやかな白いくすり指で
さんざん何処かで
弄んでゐることであらう

〈奪はれた魂〉より　小熊秀雄

彼はそのランプを、この地方へ来た行商人から二十幾銭かで買つた。その紙で出来た笠は一銭であつた。
けれどもそのランプのガラスの壺は、石油を透して琥珀の塊のやうに美しかつた。

「田園の憂欝」より　佐藤春夫

ただ泣いておいで、おまへの琥珀色の涙へ、わたしは指環の印を押してあげる、後の思出の種として。

〈立木の物語〉より　レミ・ドゥ・グルモン　上田敏訳

「この方が御客さんかな」
老人は首肯ながら、朱泥の急須から、緑を含む琥珀色の玉液を、二三滴ずつ、茶碗の底へしたたらす。

「草枕」より　夏目漱石

玄機は今年二十六歳になっている。眉目端正な顔が、迫り視るべからざる程の気高い美しさを具えて、新に浴を出た時には、琥珀色の光を放っている。豊かな肌は瑕のない玉のようである。

「魚玄機」より　森鷗外

緑青の蝶、紅き羽、
琥珀と銀の貝の殻、
黄なる文反古、錆びし櫛、
とばかり見えて、はらはらと
木の葉は脆く飛びかひぬ。

〈冬の木〉より　与謝野晶子

いざ挙げむ琥珀のグラス、
時惜む夕ひぐらし。
影のみの紫ながら
野に色む靄もあるなり。

〈新頌〉より　北原白秋

青みどろを溜めた大硝子箱の澱んだ水が、鉛色に曇つて来た。いままで絢爛に泳いでゐた二つのキヤリコの金魚が、気圧の重さのけはひをうけて、並んで沈むと、態と揃へたやうに二つの顔をこちらへ向けた。うしろは青みどろの混沌に暈けて二ひきとも前胴の半分しか見えない。箱のそとには黄色い琥珀の粒の眼をつけた縞馬の置物が、水粒が透けて汗をかいたやうな硝子板に鼻を擦りつけてゐる。

「花は勁し」より　岡本かの子

やはりこのへんに住んで百姓と商ひを半半にしてる水飴屋の親仁があつた。彼は天気でさへあれば必ずちやるめらをふきふき車を挽いてくる。あのすべてのものの調和をうちこはしてしまふやうな響が妙に子供の胸をときめかせて家にゐる者は家をとびだし、遊んでる者は遊びをやめてとんできて、棒ちぎれを刀にさした奴や、泥だらけの独楽を懐へおしこんだ奴が車をとりまいてわいわいと騒ぐ。水飴のほかにあてものや駄菓子などももつてるのでみんなは我がちに赤や青の紙をめくつてあてものをする。親仁は桶のなかに琥珀色にをどんでる飴をきゆつきゆつとひつぱりあげて木箸のさきにてらてらした坊主頭をこしらへる。それを口一杯に頬張つてくるくる廻してると濃厚な甘味が唾にとけてだんだん小さくなつてゆく。

「銀の匙」より　中勘助

門

見たこともない土地の夕暮であった。若い男がとぼとぼと砂の道を歩いて行った。糠のような砂は男の踵を没し、一足ごとに疲れは加わっていた。それでも男は歩いて行かなければならなかった。炎暑のほとぼりをもった空には低く雲が迷ってい、行手は茫漠として果しもないようであった。

若者は立留まって、ふと、

「遠い遠い道だなあ」と嘆息した。

「どこを歩いているのです」と、その時頭上の雲の裂間から母親の声が洩れた。

「遠い、遠い道……」若者はしずかに答えた。

しばらくすると、若者の目の前には大きな大きな琥珀色の石の砦が現れて来た。彼はやや嬉しげにその城門を見上げようとした。だが、城門のてっぺんは目もとどかない大空の高みにあった。

「高い高い門だなあ」と彼は力無げに呟いた。

「どんな風な門なのです」と今度は前よりもっと感動にふるえる母親の声がした。

「大きな、大きな門……」彼は低く低くうなだれるように応えた。

息子を喪った婦人が私の妻の七七忌にやって来て、臨終の話をしていた。その話を私はいつのまにか、こんな風な夢につくりかえていた。

「忘れがたみ」より　原民喜

ある洋館の這入口に『ライスカレー一杯二十五銭』とある札を見て、私は大旱に雲霓を得た心持でそこにはいった。そこは震災に荒されたあとは見えたが、かなり立派な食堂であった。給仕人もちゃんと白い洋服を著ていた。そして暖かそうな白い飯に琥珀のような光りのある黄汁をかけたものが、私の前に運ばれた。昨夜軍艦の中では缶詰の牛肉を食った。その牛肉は素敵に美味しいものであった。それにパンも食った。そのパンも美味しかった。が、しかし白い御飯にありつくのは久しぶりであった。ましてライスカレーというような御馳走にありつくことは、予期しなかったことであった。私はそこで腹をこしらえて丸ビルに向った。

「丸の内」より　高浜虚子

その一　琥珀　kohaku

パイプ、酒、空のいろ、目のいろ――などが、多いようであった。ここにあげたのはごく一部の用例である。作家としては、宮沢賢治が多様するように感じた。もちろん、青空文庫による簡易的な検索なので、それは感覚的なものに過ぎない。

琥珀とは、樹脂が化石化したものだが、宝飾品の中でも植物に由来する珍しいものである。偶には虫も花弁も閉じ込める、それら古代の光を内包するところの神秘性もあるのだろうか、やはり浪漫性のある表現が多い。それがために、原民喜の「忘れがたみ」にあるような、何か巨大な、予期的な恐ろしさも持つようである。

しかしそうかと思えば、より身近な表現も多々見受けられた。今回は引用しなかったが、北大路魯山人が自らの料理に名付けた名は、まさしく「琥珀揚げ」。それは胡麻油を使用したてんぷらのようなもの。

窓の文学史

硝子窓　　　石川啄木

○

『何か面白い事は無いかねえ。』といふ言葉は不吉な言葉だ。此二三年來、文學の事にたづさはつてゐる若い人達から、私は何回この不吉な言葉を聞かされたか知れない。無論自分でも言つた。――或時は、人の顔さへ見れば、さう言はずにゐられない様な氣がする事もあつた。

『何か面白い事は無いかねえ。』

『無いねえ。』

『無いねえ。』

さう言つて了つて口を噤むと、何がなしに焦々した不愉快な氣持が滓《かす》の様に殘る。恰度何か拙い物を食つた後の様だ。そして其の後では、もう如何な話も何時もの様に興を引かない。好きな煙草さへ甘いとも思はずに吸つてゐる事が多い。

時として散歩にでも出かける事がある。然し、心は何處かへ行きたくつても、何處といふ行くべき的が無い。世界の何處かには何か非常な事がありそうで、そしてそれと自分とは何時まで經つても關係が無さそうに思はれる。しまひには、的もなくほつつき廻つて疲れた足が、遣場の無い心を運んで、再び家へ歸つて來る事になる。――まるで、自分で自分の生命を持餘してゐるやうなものだ。

何か面白い事は無いか！

それは凡ての人間の心に流れてゐる深い浪漫主義の嘆聲だ。――さう言へば、さうに違ひない。然しさう思つたからとて、我々が自分の生命の中に見出した空虛の感が、少しでも減ずる譯ではない。私はもう、益の無い自己の解剖と批評にはつくづくと飽きて了つた。

それだけ私の考へは、實際上の問題に頭を下げて了つた。——若しも言ふならば、何時しか私は、自分自身の問題を何處までも机の上で取扱つて行かうとする時代の傾向——知識ある人達の歩いてゐる道から、一人離れて了つた。

『何か面白い事は無いか。』さう言つて街々を的もなく探し廻る代りに、私はこれから、『何うしたら面白くなるだらう。』といふ事を、眞面目に考へて見たいと思ふ。

○

何時だつたか忘れた。詩を作つてゐる友人の一人が來て、こんな事を言つた。——二三日前に、田舍で銀行業をやつてゐる伯父が出て來て、お前は今何をしてゐると言ふ。困つて了つて、何も爲《し》ないでゐると言ふと、學校を出てから今迄何も爲ないでゐた筈がない、何んな事でも可いから隱さずに言つて見ろと言つた。爲方が無いから、自分の書いた物の載つてゐる雜誌を出して見せると、『お前はこんな事もやるのか。然しこれはこれだが、何か別に本當の仕事があるだらう。』と言つた。

『あんな種類の人間に逢つちや耐らないねえ。僕は實際弱つちやつた。何とも返事の爲やうが無いんだもの。』と言つて、其友人は聲高く笑つた。――

私も笑つた。所謂俗人と文學者との間の間隔といふ事が其の時二人の心にあつた。

同じ様な經驗を、嘗て、私も幾度となく積んだ。然し私は、自分自身の事に就いては笑ふ事が出來なかつた。それを人に言ふ事も好まなかつた。自分の爲事《しごと》を人の前に言へぬといふ事は、私には憤懣と、それよりも多くの羞恥の念とを與へた。

三年經ち、五年經つた。

何時しか私は、十七八の頃にはそれと聞くだけでも懷かしかつた、詩人文學者にならうとしてゐる、自分よりも年の若い人達に對して、すつかり同情を失つて了つた。會つて見て其の人の爲人《ひとゝなり》を知り、其の人の文學的素質に就いて考へる前に、先づ憐愍と輕侮と、時としては嫌惡を注がねばならぬ様になつた。殊に、地方にゐて何の爲事も無くぶらぶらしてゐながら詩を作つたり歌を作つたりして、各自他人からは兎ても想像もつかぬ様な自矜を持つてゐる、そして煮え切らぬ謎の様な手紙を書く人達の事を考へると、大きな穴を掘つて、一緒に埋めて了つたら、何んなに此の世の中が薩張《さつぱり》するだらうとまで思ふ事がある様になつた。

實社會と文學的生活との間に置かれた間隔をその儘にして笑つて置かうとするには、私は餘りに「俗人」であつた。——若しも私の文學的努力（と言ひ得るならば）が、今迄に何等かの効果を私に齎《もたら》してゐたならば、多分私も斯うは成らなかつたかも知れない。それは自分でも悲い心を以て思ひ廻す事が無いでもない。然し文學的生活に對する空虚の感は、果して唯文壇の劣敗者のみの問題に過ぎないのだらうか。

此處では文學其物に就いて言つてるのではない。

文學と現實の生活とを近ける運動は、此の數年の間我々の眼の前で花々しく行はれた。思慮ある作家に取つては、文學は最早單なる遊戯や詠嘆や忘我の國ではなくなつた。或人はこれを自家の忠實なる記録にしようとした。或人は其の中に自家の思想と要求とを託さうとした。又或人にあつては、文學は即ち自己に對する反省であり、批評であつた。文學と人生との接近といふ事から見れば、假令《たとへ》此の運動にたづさはらなかつた如何なる作家と雖も、遂に此運動を惹起したところの時代の精神に司配されずにゐる事は出來なかつた。事實は何よりの證據である。此意味から言へば、自然主義が確實に文壇を占領したといふのも敢て過言ではないであらう。

觀照と實行の問題も商量された。それは自然主義其物が單純な文藝上の問題でなかつた爲には、當然足を踏み入れねばならぬ路の一つであつた。――然し其の商量は、遂に何の滿足すべき結論をも我等の前に齎さなかつた。嘗て私は、それを自然主義者の墮落と觀た。が、更に振返つて考へた時に、問題其物のそれが當然の約束でなければならなかつた。と言ふよりは、寧ろ自然主義的精神が文藝上に占め得る領土の範圍――更に適切に言へば、文藝其物の本質から來るところの必然の運命でなければならなかつた。

自然主義が自然主義のみで完了するものでないといふ議論は、其處からも確實に認められなければならない。随つて、今日及び今日以後の文壇の主潮を、自然主義の連續であると見、ないと見るのは、要するに、實に唯一種の名義爭ひでなければならない。自然主義者は明確なる反省を以て、今、其の最初の主張と文藝の本性とを顧慮すべきである。そして其の主張が文藝上に働き得るところの正當なる範圍を承認すると共に、今日までの運動の經過と、それが今日以後に及ぼすところの効果に就いて滿足すべきである。

それは何れにしても、文學の境地と實人生との間に存する間隔は、如何に巧妙なる外科醫の手術を以てしても、遂に縫合する事の出來ぬものであつた。假令我々が國と國との間の境界を地圖の上から消して了ふ時はあつても、此の間隔だけは何うする事も出來ない。

それあるが爲に、蓋し文學といふものは永久に其の領土を保ち得るのであらう。それは私も認めない譯には行かない。が又、それあるが爲に、特に文學者のみの經驗せねばならぬ深い悲しみといふものがあるのではなからうか。そして其の悲みこそ、實に彼の多くの文學者の生命を滅すところの最大の敵ではなからうか。

すでに文學其物が實人生に對して間接的なものであるとする。譬へば手淫の如きものであるとする。そして凡ての文學者は、實行の能力、乃至は機會、乃至は資力無き計畫者の様なものであるとする。

男といふ男は女を欲する。あらゆる計畫者は、自ら其の計畫したところの事業を經營したいと思ふ。それが普通ではなからうか。

(假令世には、かの異常な手段に依つてのみ自己の欲望を充たしてゐる者が、それに慣れて了つて、最早正當な方法の前には何の感情をも起さなくなる樣な例はあるにしても。)

故人二葉亭氏は、身生れて文學者でありながら、人から文學者と言はれる事を嫌つた。坪内博士は嘗てそれを、現在日本に於て、男子の一生を託するに足る程に文學といふものの價値なり勢力なりが認められてゐない爲ではなからうか、といふ樣に言はれた事があると記憶する。成程さうでもあらうと私は思つた。然し唯それだけでは、あの革命的色彩に富んだ文學者の胸中を了解するに、何となく不十分に思はれて爲方がなかつた。

又或時、生前其の人に親しんでゐた人の一人が、何事によらず自分の爲た事に就いて周圍から反響を聞く時の滿足な心持といふ事によつて、彼の獨歩氏が文學以外の色々の事業に野心を抱いてゐた理由を忖度しようとした事があつた。同じ樣な不滿足が、それを讀んだ時にも私の心にあつた。

又、これは餘り勝手な推量に過ぎぬかも知れぬけれども、内田魯庵氏は嘗て文學を利器として實社會に肉薄を試みた事のある人だ。其の生血の滴る樣な作者の昂奮した野心は、あの『社會百面相』といふ奇妙な名の一册に書き止められてゐる。その本の名も今は大方忘られて了つた。そして内田氏は、それ以後もう再び創作の筆を執らうとしなかつた。其處にも何か我々の考へねばならぬ事があるのではなからうか。

トルストイといふ人と内田氏とを并べて考へて見る事は、此際面白い對照の一つでなければならない。あの偉大なる露西亞人に比べると、内田氏には如何にも日本人らしい、性急な、そして思切りのよいと言つた風のところが見える。

○

自分の机の上に、一つ濟めば又一つといふ風に、後から後からと爲事の集つて來る時ほど、私の心臟の愉快に鼓動してゐる時はない。

それが餘り立込んで來ると、時として少し頭が茫平《ぼう》として來る事がある。『こんな事で逆上せてなるものか！』さう自分で自分を叱つて、私はまた散りさうになる心を爲事に集る。其の時、假令其の爲事が詰らぬ仕事であつても、私には何の慾もない。不平もない。頭腦と眼と手と一緒になつて、我ながら驚くほど敏活に働く。

實に好い氣持だ。『もつと、もつと、もつと急がしくなれ。』と私は思ふ。

やがて一しきり其の爲事が濟む。ほつと息をして煙草をのむ。心よく腹の減つてる事が感じられる。眼にはまだ今迄の急がしかつた有樣が見えてゐる樣だ。『ああ、もつと急がしければ可かつた！』と私はまた思ふ。

私は色々の希望を持つてゐる。金も欲しい、本も讀みたい、名聲も得たい。旅もしたい、心に適つた社會にも住みたい、自分自身も改造したい、其他數限りなき希望はあるけれども、然しそれ等も、この何にまれ一つの爲事の中に沒頭してあらゆる慾得を忘れた樂みには代へ難い。——と其の時思ふ。

家へ歸る時間となる。家へ歸つてからの爲事を考へて見る。若し有れば私は勇んで歸つて來る。が、時として差迫つた用事の心當りの無い時がある。『また詰らぬ考へ事をせねばならぬのか!』といふ厭な思ひが起る。『願はくば一生、物を言つたり考へたりする暇もなく、朝から晩まで働きづめに働いて、そしてバタリと死にたいものだ。』斯ういふ事を何度私は電車の中で考へたか知れない。時としては、把手ハンドルを握つたまま一秒の弛みもなく眼を前方に注いで立つてゐる運轉手の後姿を、何がなしに羨ましく尊く見てゐる事もあつた。

——斯うした生活のある事を、私は一年前まで知らなかつた。

然し、然し、時あつて私の胸には、それとは全く違つた心持が卒然として起つて來る。恰度忘れてゐた傷の痛みが俄かに疼き出して來る樣だ。抑へようとしても抑へきれない、紛らさうとしても紛らしきれない。

今迄明かつた世界が見る間に暗くなつて行く樣だ。樂しかつた事が樂しくなくなり、安んじてゐた事が安んじられなくなり、怒らなくても可い事にまで怒りたくなる。目に見、耳に入る物一つとして此の不愉快を募らせぬものはない。山に行きたい、海に行きたい、知る人の一人もゐない國に行きたい、自分の少しも知らぬ國語を話す人達の都に紛れ込んでゐたい……自分といふ一生物の、限りなき醜さと限りなき愍然さを心ゆく許り嘲つてみるのは其の時だ。

（明治43・6「新小説」十五ノ六）

今回は石川啄木を取り上げた。

艱難辛苦の中からも、うつくしい砂を握り、そしてその砂をうつくしく放し、その結果三行に分けられたうたを遺した天才詩人の、「窓」。その風景に過ぎる明治の人通りは険しい。

この題にも一興か。文中に「硝子窓」という語彙はない。しかし読後には、透明ながらも現実とは遮断された存在感と、うすい玻璃の音立てて揺らぐような微動と慄きを感じる。

※青空文庫から引用

底本：「啄木全集　第十巻」岩波書店
1961（昭和 36）年 8 月 10 日新装第 1 刷発行
初出：「新小説　十五ノ六」
1910（明治 43）年 6 月

『春月詩文集』より

ふりさけみれば月細し
忘れて久の月なれば
ものおもはする月なれば
しばし佇み眺めたり

春月

※　死の前日の五月一八日、弟子に対して春月が送った色紙より

生きとし生ける人の胸に
限りも知れぬ寂しさが、
雲のごとくに湧くときは、
離れ離れし人も相寄る。

※　長編小説「相寄る魂」の序詩　皆生温泉海浜公園内に詩碑

白魚とり

松江大橋
四つ手の網に
白魚いとしや
すくはれる
白魚いとしや
四つ手の網に
わたしゃ
あなたにすくはれる

※　彼の特徴である可憐な小曲　松江宍道湖畔の千鳥南公園内に詩碑

あはれなる基督の弟子の歌

いとたかき人とならまし、
うつくしき人とならまし、
のちの世に慕はるゝ人とならまし。
人によきことをなさまし、
世のために血も流さまし、
くるしみをおのれ一人にとりておかまし。

ギヨオテはその詩の中にかう書いた、芸術を——詩を思ふ心ほど尊いものはない。詩を愛する心は、真を求める心である。詩を愛することを知つてはじめて我々はこの世に生れて来た甲斐がある。詩はすべてのものを美しくする。詩を愛する人は、心の中に、かの高山樗牛の所謂美的生活を営む事が出来る。そしてかうした内部の美しい生活を人知れず生活してゐる人は二重に生きるのである。

そして一度びこの道に——この詩歌の国に入つた人は、こう引返し来る事はない、丁度かのツルゲエネフの『フアウスト』の熱烈な女主人公の言つたやうに——「神様が御存じです、一度この道に入つてしまへば、二度とかへつて来る事はむづかしからうと思ひますわ！」

そして私もまた詩を愛する。私も亦この果て知れぬ詩の道をたどつて迷ひに迷ひつゝもなほ進まうとしてゐる、何処までも何処までも。

——『新らしき詩の作り方』の序より

参考文献

『生田春月全集』全十三巻 本郷出版社 昭和五十六年
『生田春月読本』二十日会同人編 油屋書房 昭和四十八年
上田京子『生田春月への旅』今井出版 平成二十五年

主宰者あとがき（及び、新規原稿募集）

第二号上梓に至りました。寄稿者の皆さまにご感謝申し上げます。

『現代詩手帖９月号』の詩誌月評に、本誌「天窓」の創刊号を取り上げていただきました。これも嬉しい出来事で、有難い限りでございます。

本誌は、「詩、あるいは、それにまつわるより多くの表現」の屋根裏的な活動部屋として、ひそかに構想されたちいさな文芸冊子ですが、ちいさいながらも誰かが読んでくださることを信じて、今回の月評をその前進の櫂として、また次号発行できるように励んでゆきたい所存です。

もし、お読みになられている方がございましたら、新規原稿も募集しております。出版社宛に、お手紙くださいましたら、ご案内申し上げます。限りはありますが、できる限り掲載できるようつとめたく思っております。さまざまな条件に関係なく、すこしでも生きるために、言葉が必要なひとの表現の小屋になれたらと思います。

主宰　齋藤

二〇二四年春、次号発行ノ予定。

新規原稿等、引キ続キ、募集ス。

言葉ト光ノ、海底通信ヲスル。

詩ト、生活ヲ、見上ゲル。

詩誌　天窓

海底通信社

告知

「詩誌天窓」提携双紙

黄金郷時代

― 令和六年・春 ―

新宿ゴォルデン街へ行け
若し君が、黄金を求めるならば

〈暗号的〉配布場所
新宿黄金街三番町半ば路地曲がる赤扉上がる二階のバ-

詩誌　天窓 02

2023 年 1 1 月 4 日　第一刷

天窓編集室

編集／組版　　　　齋藤圭介
企画　　　　　　　海底通信社

発行者　山口和男
発行／印刷／製本　虹色社
〒 169-0071
新宿区戸塚町 1-102-5　江原ビル 1 階
電話　03(6302)1240

ISBN 978-4-909045-64-5
Printed in Japan